MON CAHIER

POWER ATTITUDE

ILLUSTRATIONS
ISABELLE MAROGER (COUVERTURE)
AUDREY BUSSI (INTÉRIEUR)

SOLAR
EDITIONS

Ce Carnet

APPARTIENT à

.....

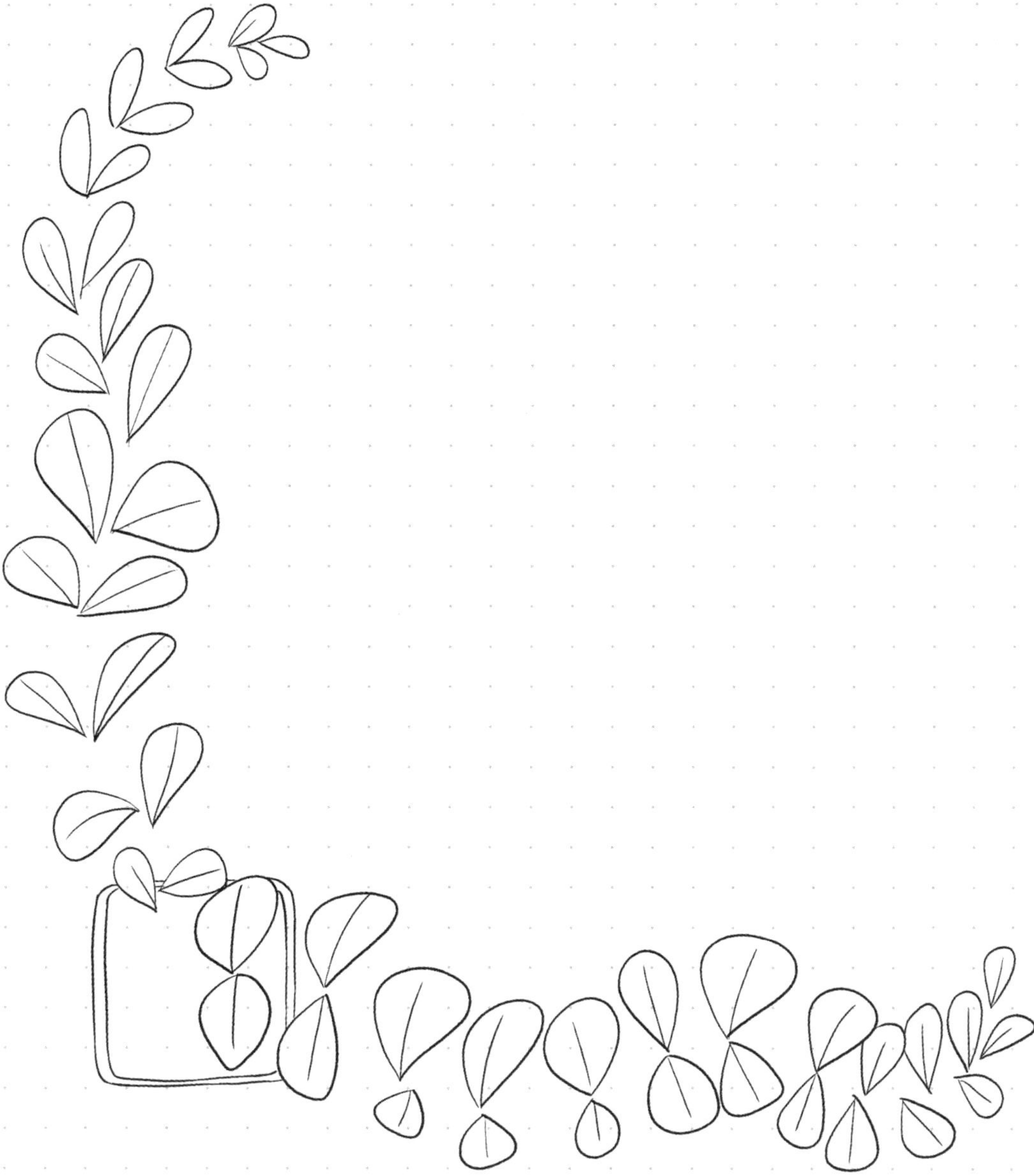

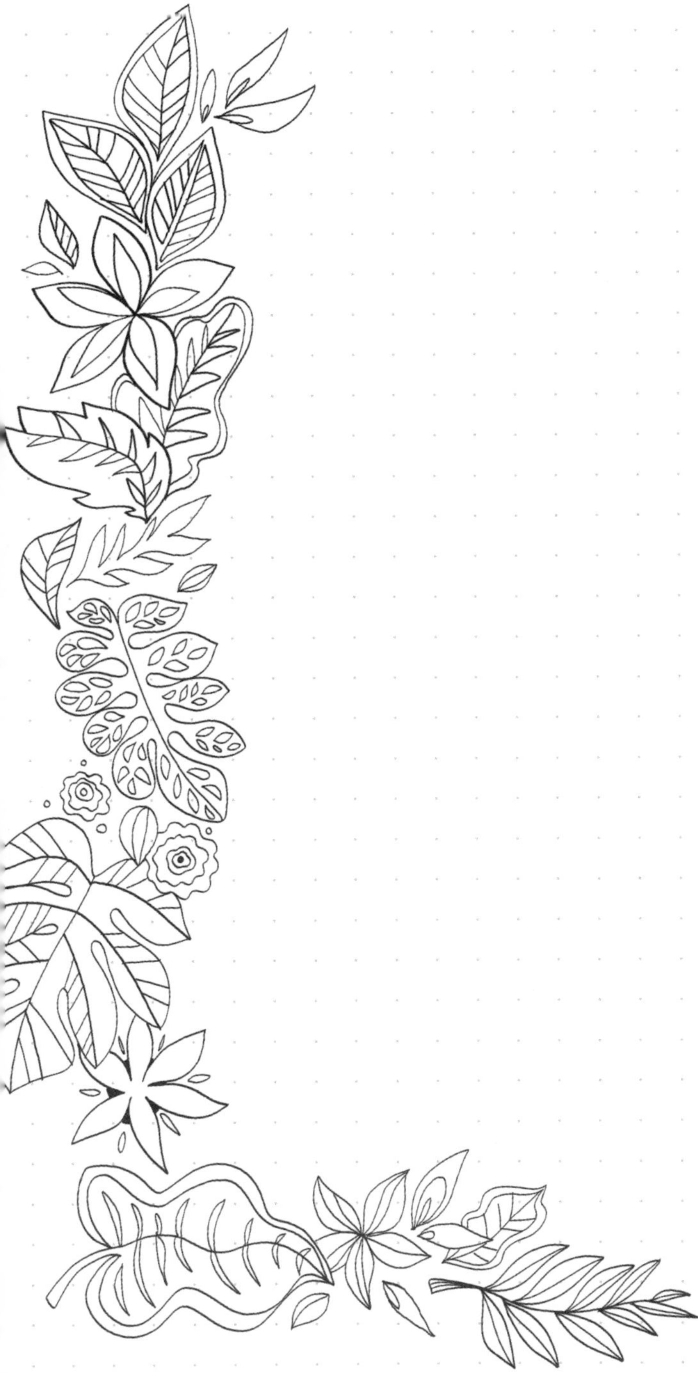

MON CAHIER MINCEUR

MON CAHIER MINCEUR

MON CAHIER MINCEUR

MON CAHIER
MA GROSSESSE ET MOI

MON CAHIER
MON BÉBÉ ET MOI

MON CAHIER
VENTRE PLAT
SPÉCIAL HOMMES

MON CAHIER
VENTRE PLAT

MON CAHIER

MON CAHIER
LE SEXE ET MOI

MON CAHIER
100% ANTI-ÂGE

MON CAHIER
DÉTOX

MON CAHIER
YOGA

MON CAHIER
RUNNING

MON CAHIER
ABDOS-FESSIERS

MON CAHIER
VEGGIE

MON CAHIER
MON DRESSING IDÉAL

MON CAHIER
BRÛLE-GRAISSE

MON CAHIER
PENSÉE POSITIVE

MON CAHIER
ANTI-STRESS

MON CAHIER
FORME ET MINCEUR APRÈS BÉBÉ

MON CAHIER
RÉGIME PALÉO

MON CAHIER
PILATES

MON CAHIER
BEAUTÉ

MON CAHIER
DIGITAL DÉTOX

MON CAHIER
STOP AU SUCRE

MON CAHIER
SANS GLUTEN

MON CAHIER
FITNESS

MON CAHIER
MINCIR AVEC LA MÉDECINE CHINOISE

MON CAHIER
YOGA DÉTOX

MON CAHIER
AQUAFITNESS

MON CAHIER
SISSY
BEACH BODY

MON CAHIER
GREEN DÉTOX

MON CAHIER
BODY TRAINING

MON CAHIER
RÉGIME TOUT CRU

MON CAHIER
MÉDITATION

MON CAHIER
HUILES ESSENTIELLES

MON CAHIER
FITPUNCH

MON CAHIER
MON CHAT & MOI

MON CAHIER
RANGEMENT FEEL GOOD

MON CAHIER
TRAIL RUNNING

MON CAHIER
YOGA MÉDITATION

MON CAHIER
SOFT FITNESS

MON CAHIER
BODY MINCEUR

MON CAHIER
HAIR BEAUTY

MON CAHIER
JOLIE PEAU
POUR UN TEINT FRAIS ET RADIEUX

MON CAHIER
FITNESS FOOD

MON CAHIER
DANSE PILATES

MON CAHIER
HYGGE
HAPPY THÉRAPIE
VIVE LE CONFORT LIFESTYLE !

MON CAHIER
YOGA SCULPT

MON CAHIER
TATOUAGE

MON CAHIER
YOGA FLOW

MON CAHIER
OBSTACLE TRAINING

MON CAHIER
SUPER-ORGANISÉE

MON CAHIER
PERFECT TIMING

MON CAHIER
BULLET AGENDA

MON CAHIER
MINCEUR ZÉRO SUCRE

MON CAHIER
MON BULLET AGENDA
LE CARNET

MON CAHIER
MINCEUR HEALTHY

MON CAHIER
STOP SMOKING
POUR ARRÊTER DE FUMER SANS GROSSIR !

MON CAHIER
AYURVEDA

MON CAHIER
VÉLO TRAINING

MON CAHIER
DÉFI VOYAGE SOLO

MON CAHIER
HIIT

MON CAHIER
CRISTAL POWER

MON CAHIER
MACADAMTRAINING

MON CAHIER
OBJECTIF MINCEUR
EN 12 SEMAINES
PRINTEMPS-ÉTÉ

MON CAHIER
MES 100 MODÈLES BULLET AGENDA

MON CAHIER
BAIN DE FORÊT

MON CAHIER
ATTITUDE BODY POSITIVE
VOUS ALLEZ AIMER VOTRE CORPS !

MON CAHIER
PILATES INTENSIF

MON CAHIER
2018
MY LIFE IS BEAUTIFUL

MON CAHIER
2018
MY LIFE IS GREEN
HUILES ESSENTIELLES & PLANTES

LES BEAUTIFUL GIRLS,
C'EST TOUTE UNE COMMUNAUTÉ !
Retrouvez plein de bonus, de conseils feel good,
des recettes, des trainings,
et des actus tendance MADE BY MON CAHIER !

Un lieu rien que pour vous :
http://mylifeisbeautiful.fr/

Une communauté de filles stylées :
VOUS DÉCHIREZ
mylifeisbeautiful.fr mylifeisbeautiful.fr

Direction : Jean-Louis-Hocq
Direction éditoriale : Suyapa Hammje
Édition : Gwladys Greusard
Conception et mise en couleur de la couverture : Stéphanie Brepson
Mise en pages : Nord Compo
Fabrication : Laurence Duboscq

FSC www.fsc.org MIXTE Papier issu de sources responsables FSC® C003309

Imprimé en Chine par LEO paper

HarmonieSolar
harmonie_solar

mylifeisbeautiful.fr
mylifeisbeautiful.fr

http://www.mylifeisbeautiful.fr/

Solar | un département **place des éditeurs**

place
des
éditeurs